서생 바다 3

서생 바다 3

발　행 | 2024년 01월 05일
저　자 | 이종무, 임도연, 김찬열, 조현진, 유도은, 황가영, 박가연
펴낸이 | 한건희
펴낸곳 | 주식회사 부크크
출판사등록 | 2014.07.15.(제2014-16호)
주　소 | 서울특별시 금천구 가산디지털1로 119 SK트윈타워 A동 305호
전　화 | 1670-8316
이메일 | info@bookk.co.kr

ISBN | 979-11-410-6465-5

www.bookk.co.kr

서생 바다 3

시 이종무 임도연 김찬열 조현진 유도은
그림 황가영 박가연

CONTENT

바다 환경 시화집

서생 바다 3

시 유도은 임도연 김찬열 조현진 이종무
그림 황가영 박가연

머리말

얼마 전 「탄소·해양·기후」라는 책을 접했다. 현상민, 강정원 박사의 책인데 전 지구의 문제에 인류가 맞닥트렸다는 생각이 들었다. 그런데 한 가지, 과연 지구 온난화의 문제에 탄소가 주범인지에 대해서는 좀 주저했다. 맞는 말이긴 하지만 결국 인간의 욕심이 만들어 낸 똘마니가 아닐까? 하는 의구심이 들었다. 정작 수많은 바다 오염의 주범은 인간인데 미국, 유럽 등의 경찰에 잡힌 놈은 탄소랄까. 근본을 해결하지 않고서는 지구 문제를 해결하기는 어려울 것이라는 생각이 들었다.

다행히 뜻이 있는 학생들이 바다에 관심을 가졌다. 페트병 등 생활 쓰레기는 물론 폐그물 등 수많은 오염물이 바다를 더럽히고 있다는 것을 알았다. 해변 정화 활동 중에 주운 것은 쓰레기만이 아니었다. 스스로에 대한 반성을 듬뿍 주워 담았다. 얼마간 해변에 널브러진 쓰레기가 보인다는 건 바다에 가라앉은 수많은 쓰레기가 있다는 말이다. 빙산(氷山)의 일각(一角)이라는 말이 새삼스럽지 않다.

반성은 더 늦기 전에 용서받아야 한다. 대상이 스스로이건 지구이건 해양이건 상관이 없다. 문제는 탄소를 탓할 게 아니라 브레이크 없는 인간의 욕심을 줄여야 한다. 참 쉬운 일이 아니다. 바다는 그저 묵묵히 뭐든 받아주는 존재로만 인식하고 있다. 여기에 경종을 울려야 한다. 지구의 71%를 차지하는 바다가 오염되면 인간 역시 피할 길이 없다. 지구 생명체의 보고인 바다를 학생들이 반성하고 지키자고 힘을 모았다.

환경 오염이 어제오늘의 일은 아니다. 특히 바다 오염은 이제 우리 눈앞에 다가왔다. 이미 어린 학생들이 더 심각하게 바라보고 있다. 「서생 바다 3」이라는 바다 환경 시화집은 어린 학생들의 염원을 모았다. 바다에 대한 간절함, 때로는 냉철한 눈으로 기성세대에게 반성과 용서를 구하고 있다. 시집 「서생 바다」, 「서생 바다 2」에 이어 바다를 대하는 학생들의 마음이 잘 녹아 있다. 이번 시화집을 계기로 바다 환경에 관한 관심이 더 확대되기를 바라는 마음 간절하다.

바다 · 욕망 · 인간

이종무

그물을 덮고

그물을 덮고

고래는 잠을 잔다
여름 이불 구멍이 송송 뚫린
그물을 덮은 채
깊은 잠에 빠졌다

바다에서의 생활이란 게
길이를 헤아릴 수 없는
넵투누스의 힘보다
그물을 만든 인간의 얕은 탐욕이
더 무섭다는 것을

멍든 가슴 그대로 안고
고래는 깊은 잠에 빠졌다

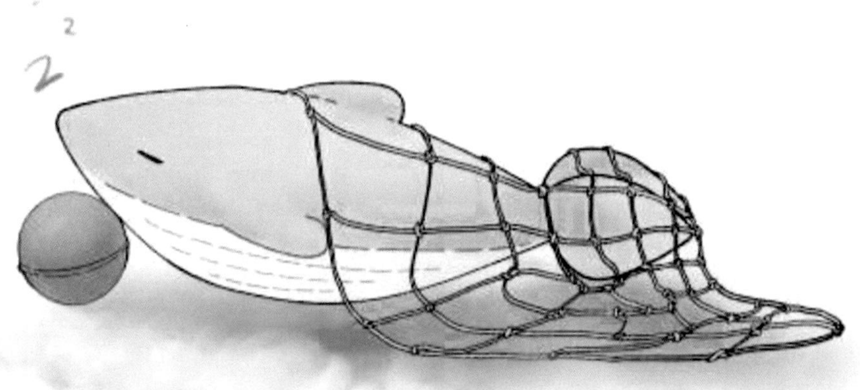

돌고래 장난감

돌고래 장난감

플라스틱 빈 병 하나면 충분하다
피구처럼 던지기로 활용하고
수구는 기본
마루운동 공굴리기에다
싱크로즈나이드 스위밍을 하면서
어려운 동작도 쉽게
버려진 플라스틱 빈 병 하나면
해지는 줄 몰랐다
바다에 해지는 줄 몰랐다

다문화 해파리

다문화 해파리

물에서 와서 그런지
생긴 모습이 이국적이다

촉수 대신 둥근 모양의 고리가 매력
심해상어도 탐내는 투명한 피부는
해류를 흔든다

어눌한 말은 몸짓으로 알아듣고
촉수와 고리를 이어
불편하지 않은
동거를 시작한다

바다로 간 허재비

바다로 간 허재비

도시 하수구 출신인
플라스틱 커피잔을 머리에 주워 쓰고
고향이 쓰레기통인 비닐장갑을 끼고
폐그물 어깨에 걸치고
해안에 서면
액땜은 꽃이 되고
파도의 노래가 되고
촉수가 따끔한 해파리의 동무가 된다

모래에 박힌 외나무다리 위로
방게가 타고 올라도
해적 존 실버에게 손 흔들며
하루하루를 버틴다

자반

자반

고등어는 나노 구조체다
오메가3 가득한 저녁 찬거리다

탈크를 곱게 가루로 만든
파운데이션과 볼 터치가 주메뉴

산화 티탄으로 자외선을 막는
선크림이 플랑크톤과 놀다가
고등어 등 푸른 피부를 위한
마법의 총알이 되었다

자, 이제 안전 먹거리는
피부에 양보하자

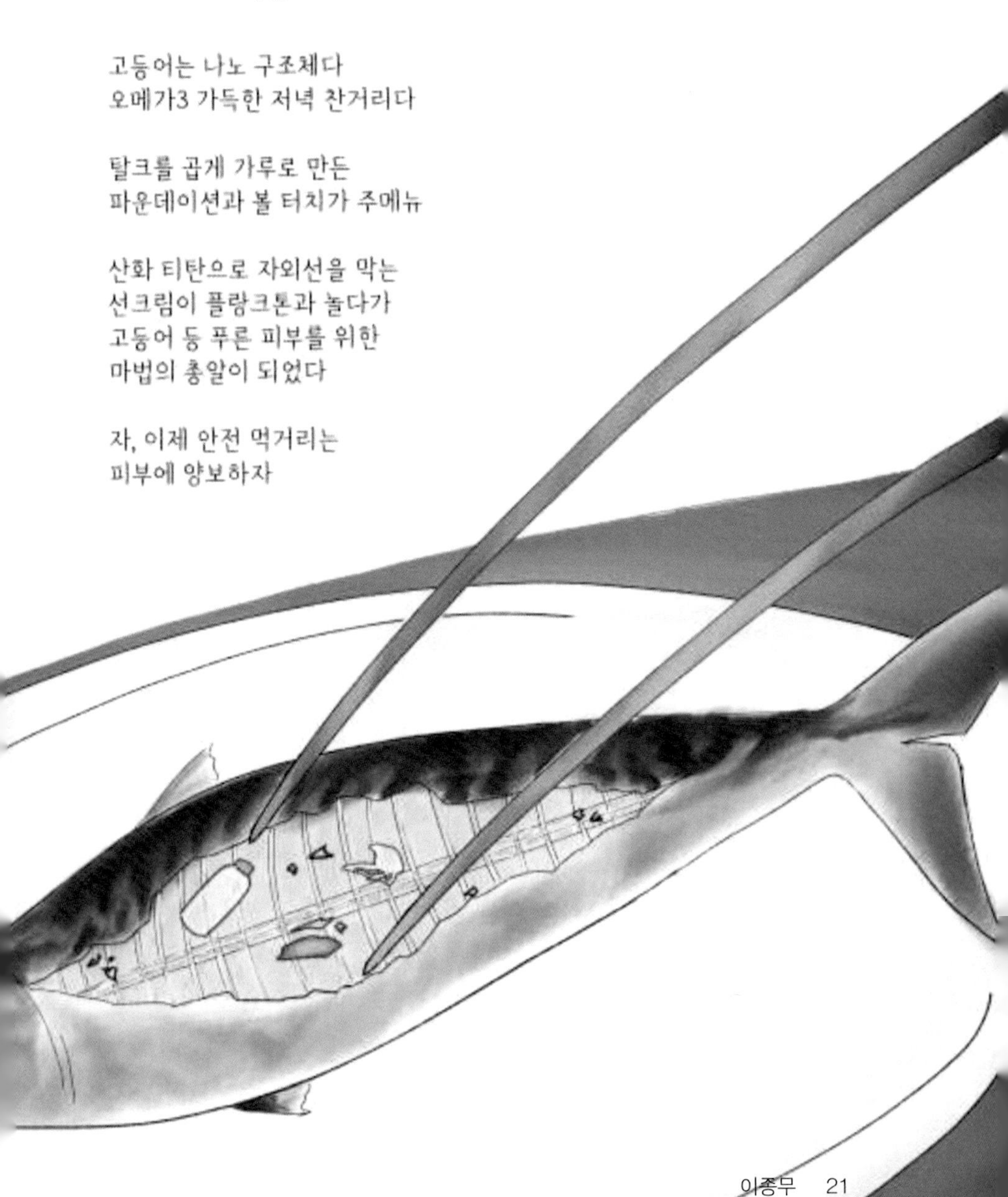

지구라는 풍선

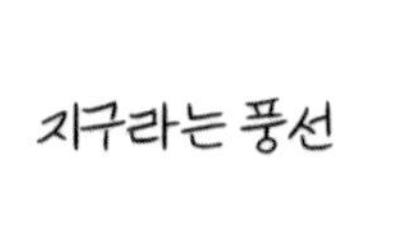

공원에 놀러온 아이가 솜사탕에 빠져
줄은 놓는 순간

인도양이 아랄해가 되고
참치가 천연기념물로 지정되어
더 멀고 깊은 바다로 가야만
푸른 파도를 볼 수 있는
미래소년 코난의 시대

화들짝
꿈을 휘저어 줄 끝이라도 잡아
다시는 놓치지 않을
눈물의 약속

캔, 벼랑에 뒹굴다

캔, 벼랑에 딩굴다

방파제 끝자락에서
해질녘까지 부르는 이 없어
지쳐 포개진 채로
갈 곳을 몰라
마음만 I Can Can ...
사람들은 잊어버린 해전
파도에 떠밀려온 낙오병이 되어
찌그러진 일상의 삶을 이어가고 있다
I can can ...
방파제에는 아무도 찾지 않는
마음만 남았다

이종무

디카시, 디카씨

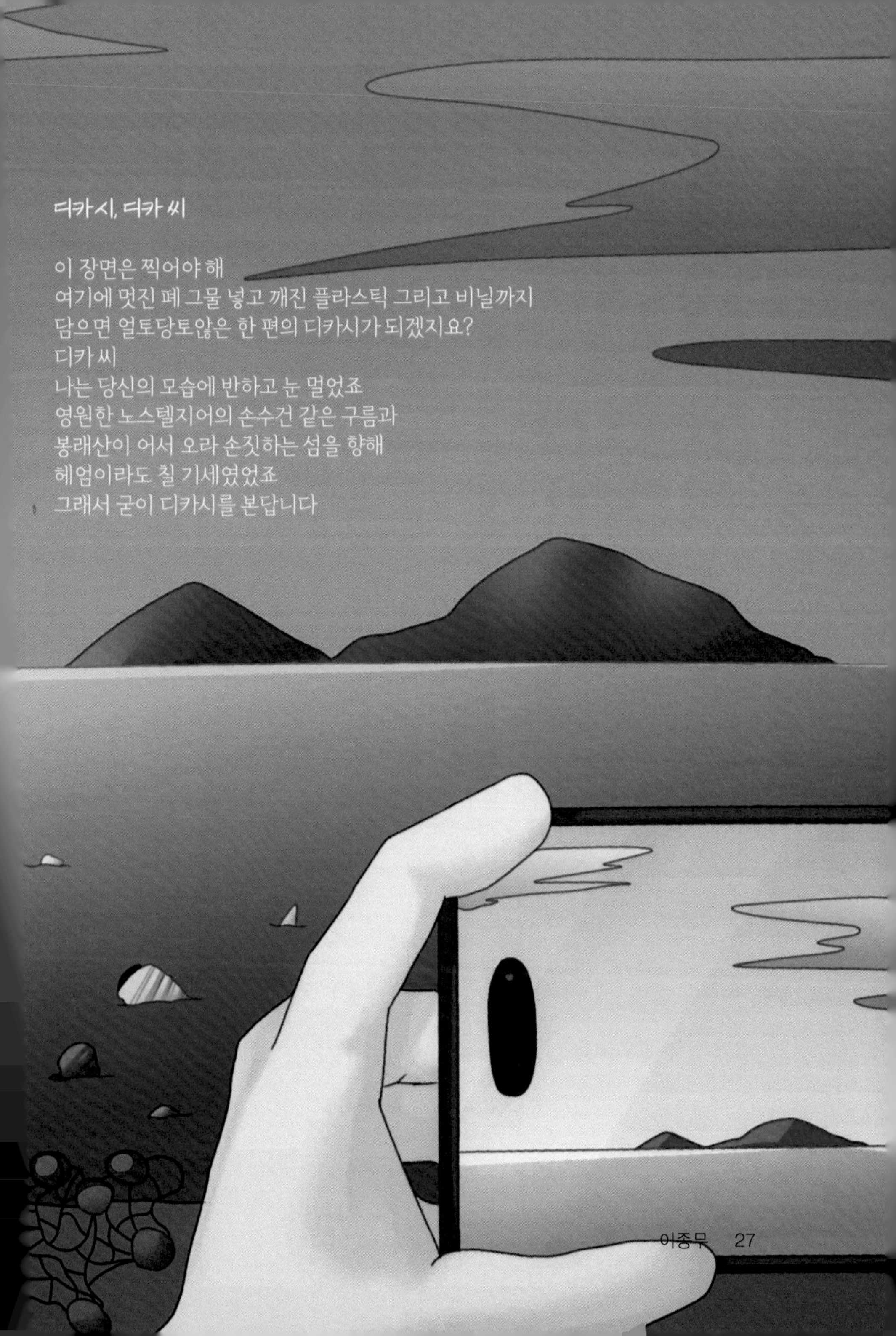

디카시, 디카 씨

이 장면은 찍어야 해
여기에 멋진 폐 그물 넣고 깨진 플라스틱 그리고 비닐까지
담으면 얼토당토않은 한 편의 디카시가 되겠지요?
디카 씨
나는 당신의 모습에 반하고 눈 멀었죠
영원한 노스텔지어의 손수건 같은 구름과
봉래산이 어서 오라 손짓하는 섬을 향해
헤엄이라도 칠 기세였었죠
그래서 굳이 디카시를 본답니다

식탁, 서기 2500년

탁, 서기2500년

시 바늘 그대로 요리한 우럭 한 마리, 폐 그물에 달린 황색 조개, 미세 플라스틱을 먹고 자란
초 나부랭이, 과일같이 생긴 진화의 결정체인 환형동물인 개불 사촌, 미세 플라스틱
색 주스 한 잔 그리고 주의하세요 먹을 수 있는 폐 깡통과 몇몇 그 부스러기가
안에서 깔끄러울 수 있답니다 즐거운 식사 되세요

온난한 낚시

온난한 낚시

동해안 해저 평균 수온이 10˚C인 줄 알고 있는데 그래서 해무도 끼고 한여름이 아니면
입술이 파랗게 그녀를 기다린다는 줄 알기에 그저 나를 좋아하겠거니 생각한 게 착각이었어
저층부에서부터 묵직하게 저려오는 손맛 때문이었을까 예사롭지 않다는 사실은
짐작했었다지만 낚싯대도 어이없을 만큼 붉게 변하는 카멜레온의 바다

수통의 꿈

수통의 꿈

세상을 담고 또 담아
멋진 작품으로 남기를 원해
작품의 모든 물감을 섞으면
물통 안 흐린 세상이 되지만
잊지 않고 찾아줘서 고맙고
붓이 흔들어 만든 파문이
작품이 될까 오히려 걱정이다
꿈이 있다면
화가의 실수를 틈타
종이배 띄워 눈부신 바다로 항진해
그의 품에서 작품이 되는 것

이종무

뭍으로 떠밀려 나온 너에게

임도연

동화

동화

푸른 바다에 살던
동화 속 나의 인어공주

늘 나에게 작은 조개를 쥐어주며
언제든 놀러 오라던 너

한참을 잊고 있다 네 생각이나
오랜만에 찾아갔다

캔, 플라스틱, 유리조각들이
맑았던 바다를 가득채워
내 눈 앞을 어둠으로 이루었다

그때의 우리를 잃어버린 너와 나
는
예전처럼 노래를 부를 수도
헤엄을 칠 수도 없어졌다

임도연

모래성

모래성

아이가 쌓아 놓은 작은 모래성
뭍으로 올라 온 쓰레기에 부딪히고
아직 꺼지지 못한 담배꽁초의
남은 불씨에 타올라 만싱창이가 된 모래성은
아이의 순수함을 기리는 듯하다

깊게 남은 모래성의 잔해는
끝끝내 없어지고 말았지만
아이의 마음이 물든 자리는
푸른 빛이 돌며 반짝이고 있다

임도연

바다

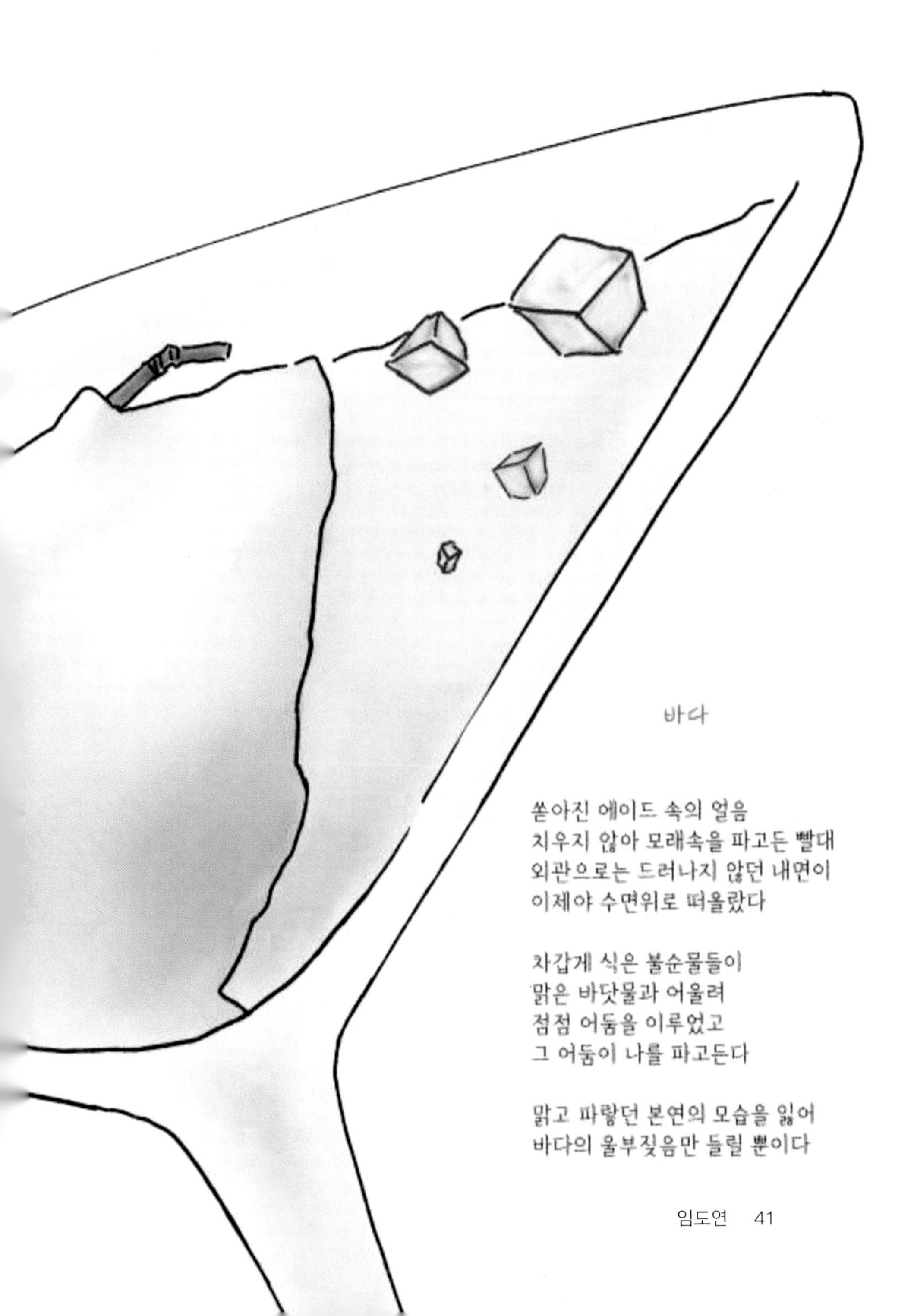

바다

쏟아진 에이드 속의 얼음
치우지 않아 모래속을 파고든 빨대
외관으로는 드러나지 않던 내면이
이제야 수면위로 떠올랐다

차갑게 식은 불순물들이
맑은 바닷물과 어울려
점점 어둠을 이루었고
그 어둠이 나를 파고든다

맑고 파랗던 본연의 모습을 잃어
바다의 울부짖음만 들릴 뿐이다

바닷속 계절

바닷속 계절

바닷속은 인간의 손길로 계절이 생긴다

산호초에는 비닐봉지가 살포시 내려앉아
썩지 못하는 벚꽃을 피워 봄을 만들고

시원한 얼음이 담긴 컵을 바다에게 선물하면
시원하지만 가지 않을 여름을 만든다

쌀쌀한 바람에 파도에게 버려진 코트를 입히면
따뜻한 아픔으로 가을을 만들고

파도에는 잘게 부서진 스티로폼이 떠다녀
녹지 않는 겨울을 만들면

쓰라리고 아름다운 사계절이 만들어진다

임도연

블루라군

블루라군

유리컵에 담긴 블루라군 한잔
푸른 바닷물이 넘쳐흐른다

욕심을 가득 담아 한모금 들이키면
선명한 푸른 바다가 입안을 돌아 시원해지고

한번 더 머금었을 땐
욕심으로 푸른바다가 물들여지고

한모금 더 들이키면 푸른 바다는
욕심을 머금어 잔의 밑바닥이 보인다

마지막 모금의 블루라군을 마시고 나면
욕심이 가득 일렁여 푸른 바다를 없어져버려
더 큰 욕심을 불러일으킨다

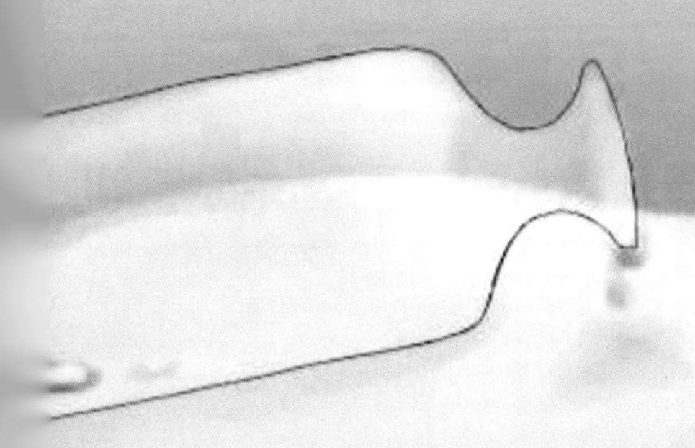

수족관

수족관

큰 수족관에 깔린 담배꽁초에
물이 뿌옇게 불어난다

수중을 떠다니는 플라스틱 조각에
이곳저곳 상처가 난 물고기들

복구할 시도조차 하지않는다
사람들은 당연하다는 듯
하나 둘 쓰레기를 집어 던지고
파랗고 맑던 수족관은 금이 가 물이 샌다

그제서야 막아버지만 걷잡을 수 없이
이미 커져버려 뿌연 물이 바닥을 적신다

임도연

원래의 모습

원래의 모습

해수욕장을 둘러보면
쓰레기는 하나 없고
맑기만하다

대체 뭐가 오염인가 싶어
바닷물을 바라보면
미역만 흐물거릴 뿐이다

그렇게 한참을 모래 위를 걷다
무언가 발에 밟혀 아래를 쳐다보면
하얀 비닐봉지가 날 향해 춤을 춘다

혹시나 싶어 저 멀리 내다보면
부표인 줄 알았던 것들은 모두 플라스틱 통이고
흐물거리는 미역들은 모두 비닐봉지이다

순식간에 쓰레기들로
돌아온 아름다운 풍경들은
나에게 두려움을 떠넘기고는
멀리 달아났다

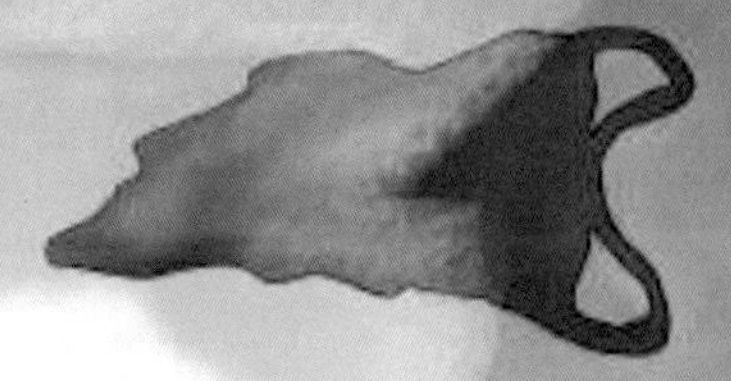

임도연

이기심

이기심

너는 자유롭게 바닷속을
유영을 하고 싶어했다

서늘하게 몸에 닿는 여름바다가 좋다고
너는 한참을 물 속에서 시간을 보냈다

물에서 나와 몸 여기저기 붙어있는
바다 쓰레기를 보고도 뭐가 좋은지 한참을 웃어댔다

물에 들어갔다 나올 때마다 딸려오는 쓰레기에
점차 인상이 구겨지고 뭔가 껄끄러운 듯
너는 그곳에서 발길을 끊었다

한참 뒤 소식으로 그 곳을 접했을 땐
아무도 정리를 하지않아 바다의 형태가
모두 사라졌다고만들릴 뿐
별 다른 감정은 들지 않았다

팔레트

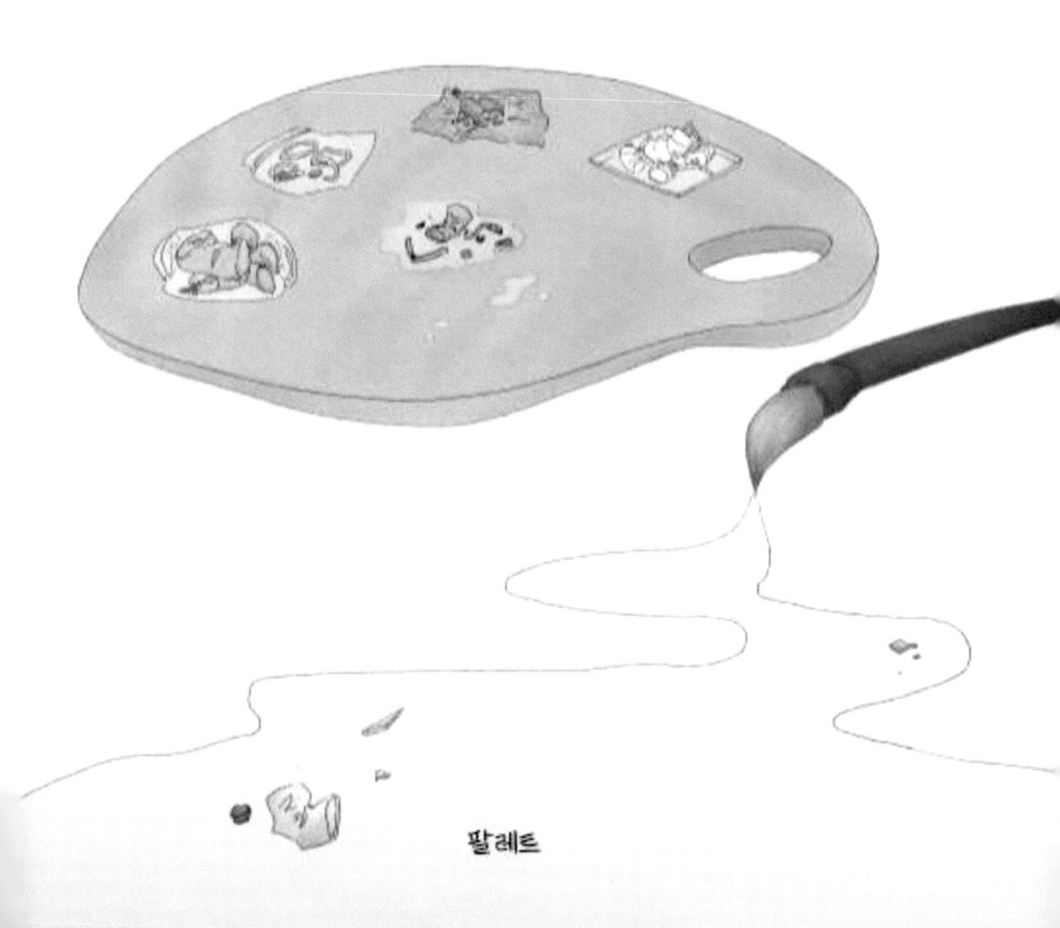

팔레트

물감통에 파란 물감을 씻어내면
물감통에 작은 바다가 일렁인다

빨간 물감을 씻어내면 여기저기 붉어지고
보라색 물감을 씻어내면 붉은끼가 흐려져
바다에 검붉은 멍이 든다

팔레트에 있던 물감들로
바다를 물들이고 나면

넘칠 듯 일렁이는 바다는
되돌릴 수 없게 오염이 된다

페트병

페트병

큰 해변에 내리박힌 페트병
슬쩍 들어보면 페트병 안에
작은 해변을 만들어낸다.

작은 해변에 갇힌 물고기 한 마리
살려달라고 소리를 치지만
패트병이 소리를 머금어
그리 크게 들리진 않는다

서서히 죽어가는 물고기는
작은 해변이 갇혀 자신의
숨을 거두어가는 페트병만 원망한다

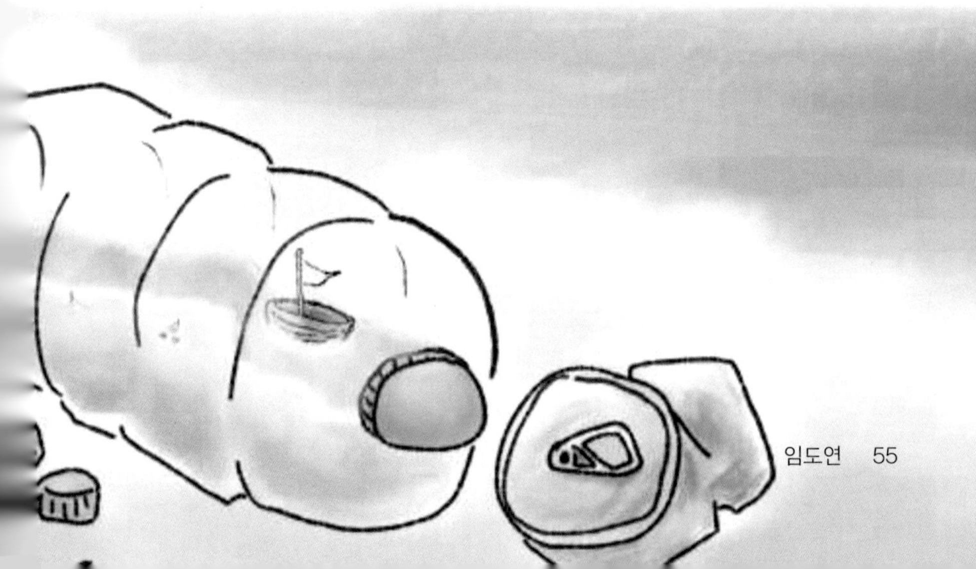

짓밟힌 모래사장

김찬열

꿈의 스케치북

꿈의스케치북

한 아이는 바다속에서 사는 꿈을 가지고 있었다
그래서 스케치북을 파란색으로 칠하고 물고기, 돌 등을 그려놓고 항상 들고 다녔다
그런데 뛰어다니다가 그 그림을 바닥에 흘리고 갔다
시간이 지날수록 새똥이 묻고 사람들이 밟으면서 더러워진다
그렇게 한 아이의 꿈이 사라지고 바다도 더러워진다

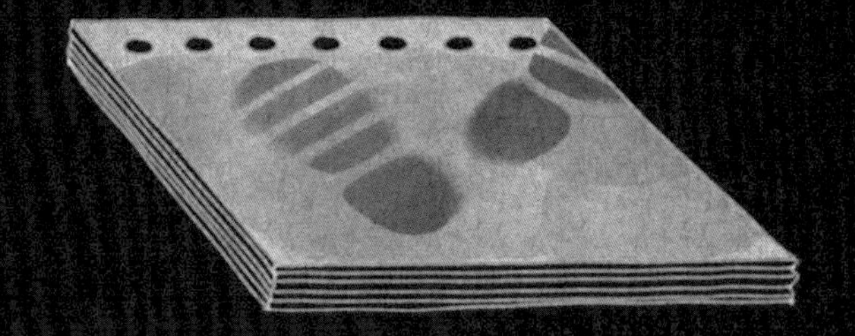

멸치잡이 배

멸치잡이배

멸치를 잡기 위해서 해가 뜨기도 전에 일어나서 준비하는 어부들
정박장에 모여서 인사를 나눈다
뱃고동을 울리며 배가 출항한다
그리고 주변엔 널브러진 쓰레기들만이 가득하다
망망대해 한가운데에 홀로 있는 멸치잡이 배
그물을 던지고 멸치들이 오기를 기다린다.
1시간 뒤 어부들은 그물을 꺼낸다
그러나 나온 것은 비닐봉지들에서 나온 건 형형색색의 멸치들뿐
저녁시간 때 그 다채롭던 것들이 그대로 식탁에 나왔다
사람들은 식은 땀을 흘리고 눈을 찌뿌리면서도 맛있게 먹는다
희한하게도 시끌벅적하던 저녁시간이 한순간 고요해지고
오독오독거리는 소리가 울려퍼졌다

물방울

물방울

바다에서 물방울들이 증발한다
위로 올라가면서 구름을 만들고 다시 비로 내린다
몇 물방울들은 아스팔트 위로 떨어져서 검게 변한다
그리고 다시 증발해서 바다로 비로 내린다
그렇게 바다는 쓰레기라는 이름의 검은 그림이 되었다

바다 위의 촛불 하나

바다 위의 촛불 하나

푸른 바다 위에 공장 하나가 세워졌다
환풍구에서 새어나온 까만 연기가
한 덩이 두 덩이 나온다
그 연기는 모여서 새까만 구름이 되고
한 방울씩 꺼먼 빗방울을
떨어뜨린다

그 빗방울은 바다에 떨어진다
검은색의 잉크가 바다에 스며든다
그리고 잉크는 모든 것을 까맣게 덮었다
모두가 아무것도 못 본다

그때 한 사람이 촛불을 킨다
아직 아무것도 안 보인다
그러나 한 사람이 촛불을 키자고 외치자 모두가 촛불을 킨다
그러더니 모든 것이 훤히 보였다

바다로 여행 온 뻐꾸기

바다로 여행 온 뻐꾸기

고요한 푸르른 바다에
뻐꾸기 한 마리가 여행을 왔다
해송 위에 앉아서 뻐꾹뻐꾹 울기도 하고 바다 위를 신나게 난다.
바다 속에서 물고기를 낚아채서 뻐꾸기는 먹기 시작한다
그러자 바다로 검붉은 피가 뚝뚝 떨어진다
그리고 뻐꾸기는 해변가에 똥을 누고 떠난다
그 어떠한 처리도 하지 않고
그렇게 바다는 추상화가 그려지듯 더러워진다

바다의 눈꽃

바다의눈꽃

바닷가에 만개한 눈꽃들이 있었다
구름같이 포근한 느낌이 바다를 에워싸는 듯 그 해변은
편안하고 내 집 같았다
그런데 사람들이 오고가면서 눈꽃을 밟고 꺾었다
눈꽃엔 새까만 멍이 들었고 바다는 차가워졌다
시간이 지날수록 눈꽃은 시들어갔다
그렇게 바다에도 멍이 들어서 어둠에 잠겼다

김찬열

바다의 짝사랑

바다의 짝사랑

바다는
하늘이 그리울 때면
푸른 하늘을 머리에 이고
양떼구름, 토끼구름
손 흔들며
저녁놀을 배경 삼아
파도 높이에 맞춰
몸을 일렁이지만
바다의 춤사위는
그물에 꼬이고 페트병에 치여
해변에 닿기도 전에
스텝을 맞출 수 없어
상사병에 하늘만 바라본다

어미새의 밥상

어미새의 밥상

한 해변가 위에 있는 나무에서
둥지에서 사는 어미새는 밥상을 차립니다
재료가 다 떨어진터라
어미새는 바다에서 식재료를 구합니다
모래에서 알록달록한 병뚜껑 몇 개
바다 아래에서 비닐봉지 한 두 개
바다 위에서는 부표 몇 개
어미새는 한 보따리 주워서 갑니다

아기새들 앞에 놓여진 푸짐한 밥상
아기새들은 부리나케 먹습니다
어미새는 그 풍경을 흐뭇하게 보다가
용기에 담아서 옆집에 보냅니다
그리고 해변가는 어둠으로만 가득 차오릅니다

김찬열

태풍

태풍

날이 밝아오면 내 앞엔 바다가 보였다
그건 푸르고 고요한 바다였다
그런데 이젠 바다는 그저 쓰레기들의 놀이터가 되었다
변해버린 바다를 보고 있을 때 어디선가 바람이 불어왔다
저 멀리서 태풍이 다가와선 바다의 모든 것을 쓸어버렸다
그 쓰레기들도 전부 태풍이 가져갔다
이제 내가 할 건 다시 바다를 감상하는 것이다
예전의 푸르고 고요한 바다를

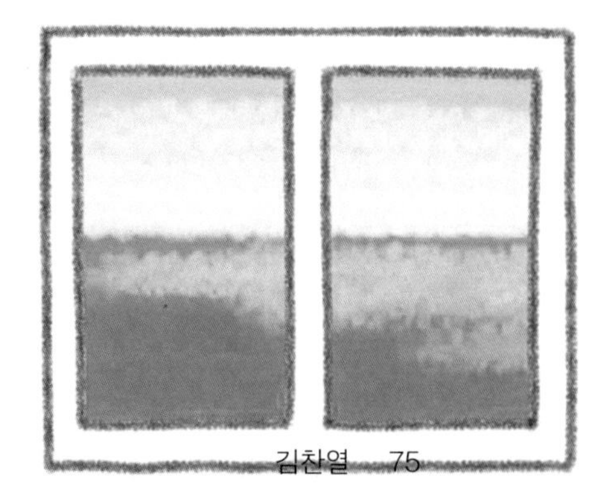

김찬열

해무

해무

해가 지고 하늘이 어두워지면
해무가 바다 위를 덮습니다
그러면 저 멀리서 해무가 빗자루로 쓸듯이 쓰레기들을 해변 위로 내쫓습니다
그리고 우리도 차갑게 밀어냅니다
해무는 계속 우리에게 쓰레기를 버리지 말라고 경고하면서 밀어냅니다
그렇게 밀려나가는 것이 우리가 계속 나아갈 수 있는 방법입니다

인간이 만든 바다

조현진

기름 웅덩이

기름 웅덩이

저 멀리 배가 지나가더니 풀썩
그러더니
추적추적 기름비가 내리네요

거뭇한 빗내음이 납니다

바다에 생긴
기름 웅덩이에
폴짝 빠져봅니다

옆에 있던 물고기 한 마리
웅덩이에서 튄 기름을
너무 많이 맞았는지
감기에 걸렸습니다

미슐랭스타-5성

미슐랭스타 -5성

지느러미가 잘린 상어
알을 빼앗긴 상어

그 지느러미와
자식을 잃은 비통한 마음은
비싼 값에 책정되어
누군가의 식탁에 오른다

진미라 불리지만
상어의 고통에서 비롯된 음식
미슐랭 스타 -5성

백색 정원

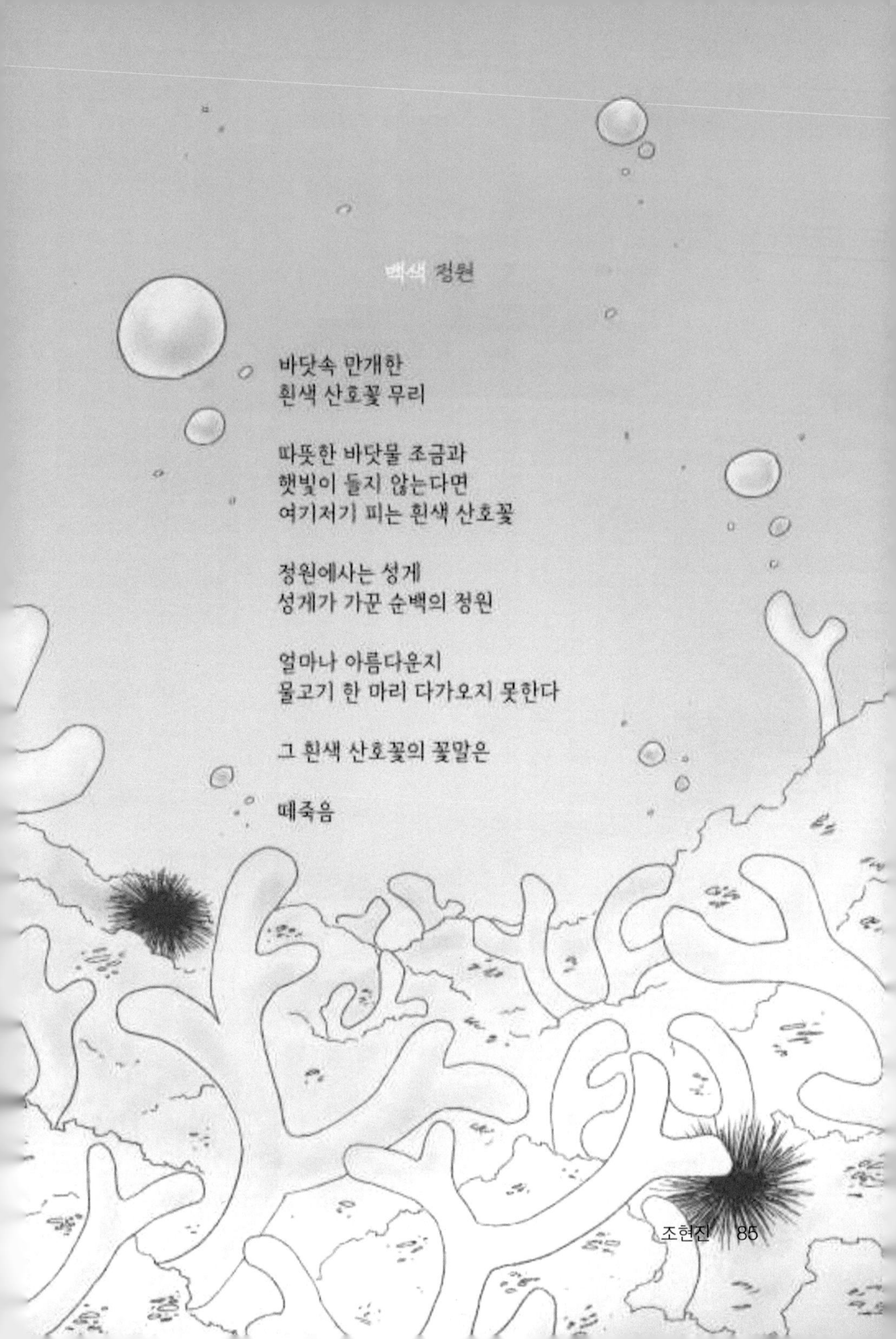

백색 정원

바닷속 만개한
흰색 산호꽃 무리

따뜻한 바닷물 조금과
햇빛이 들지 않는다면
여기저기 피는 흰색 산호꽃

정원에사는 성게
성게가 가꾼 순백의 정원

얼마나 아름다운지
물고기 한 마리 다가오지 못한다

그 흰색 산호꽃의 꽃말은

떼죽음

조현진

수중 정원

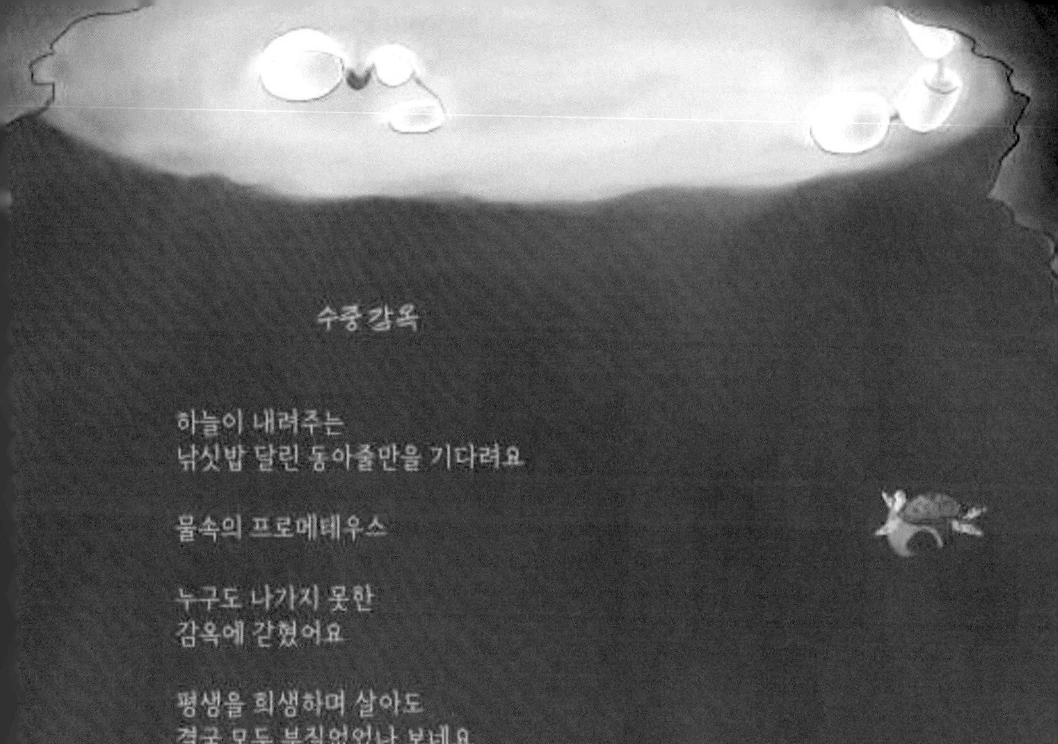

수중 감옥

하늘이 내려주는
낚싯밥 달린 동아줄만을 기다려요

물속의 프로메테우스

누구도 나가지 못한
감옥에 갇혔어요

평생을 희생하며 살아도
결국 모두 부질없었나 보네요

가둔 자를 원망하며 해본
수십수백 번
탈출하기 위한 노력은
모두 수포로 돌아가요

하늘이 내려주는 동아줄이
썩은 동아줄이라도 좋으니
한 번만이라도 기회를 내려주세요

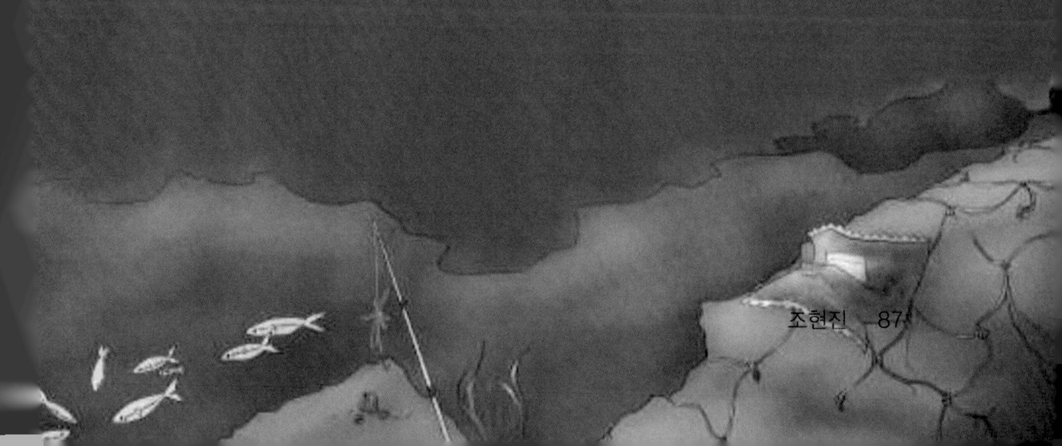

어획강도

어획강도(漁獲強盜)

한밤중 달빛에 숨어
배를 출항해라

파도도 모르게 다가와서는
닻을 내려라

무기는 그물 보따리 하나
온 바다를 헤집어라

금은보화보단
대구 몇 마리도 좋고
고래도 좋지

가리지 말고 그물을 내려
닥치는 대로 잡아올려라

오염 자선단체

오염 자선단체

한 푼, 두 푼 바다에 대가를 원치 않는 오염을 기부합니다
꾸준히 기부합니다

물고기를 배불리 채워라고
플라스틱 한두개

거북이도 따듯하게 입혀라고
비닐봉지 한두장도 두고갑니다.

은혜를 입은 바다
고마운 마음을 전하고자
플라스틱을 가득 머금은 물고기를 선물합니다

우리가 선물한 오염 구호품들을 본 행복한? 바다의 모습을 봅니다

이정표 캔

이정표 캔

제 속엔 짭짤한 바닷물 조금
그리고 수많은 이야기로
가득 차 있습니다

어디에서 만들어졌는지
누구의 손에 들려 무엇을 담았는지
바다로 와서 누굴 만나고
무엇을 보았는지

애써 버려진 슬픔을 잊기 위해
이 이야기들로 바다의 부표를 자처합니다

지나다니는 물고기들과
어선의 이정표가 되고
밤에는 빛을 내기위해 노력합니다

어찌해야할까요
도우려해도
물고기들 마저 저를 싫어하네요
어선마저도 저를 무시하고 떠나네요

저는 다시 한번 버려졌나요?
누군갈 돕고 싶어도 돕지 못하나요?

자업자득 회전 초밥집

자업자득 회전초밥집

주방에서
쉴 새 없이 나오는 초밥들

재료는
쓰레기 가득 머금은 물고기들

검정 접시에는
플라스틱 연어초밥

파란 접시에 든 깡통 계란 초밥은
먹기 싫은 건지 그냥 보내버린다

다른 걸 먹고 싶어도
다시 온 깡통 계란 초밥
결국 한 점 집어먹는다

이처럼 결국 초밥들은 모두
돌고 돌아 식탁 위에 오른다

후쿠시마 술집

후쿠시마 술집

오늘은 술이 가득 차 창고가 터질 것 같으니
마음껏 술을 들고 가도 좋네

한 잔 술을 동해만큼
가득 담은
잔들을 부딪히자

한 잔으로는 취할 리 없으니
함께 잔을 비우고
고주망태가 돼보자

새파란 너는 물 들을까 걱정인지
쉽사리 잔을 들지 못하네

그런 걱정은 버리고
다시 한번 대서양을 이룬
술잔을 들자

술이 들어가니
그 양이 태평양 같아
가득 취해 몸을 가눌 수 없을 것 같네

버려진 자들의 낙원

버려진 자들의 낙원

태평양을 항해해
끝내 도착한
새로운 기회의 땅

다시금 상처받지 않기를 소망하며
메이플라워호를 출항해
버려진 자들의 낙원으로 향한다

그 종류도 제각각
캔, 비닐, 플라스틱

뭐든 될 수 있다는 그들의 소망이
모여만든 신대륙은
155km^2에 다란다

비록 버려졌지만
그들이 낙원에서 새 삶을 살수 있기를

바다 사람이 들려주는 이야기

유도은

모래사장

모래사장

연갈색 모래 캔버스 위에
반짝반짝 햇빛에 빛나는 조개 껍데기

한번 손 뻗어 만져보다
모래알이 고슬고슬 묻어 털어내니
검은색 물감이 묻어있다

뽀득뽀득 바닷물로 씻어내고
미끌미끌 비누로 씻어내도
사이사이 남아있는 검은색 물감

파도가 친다하더라도 지워지지 않는
캔버스 위 검은색 붓자국들

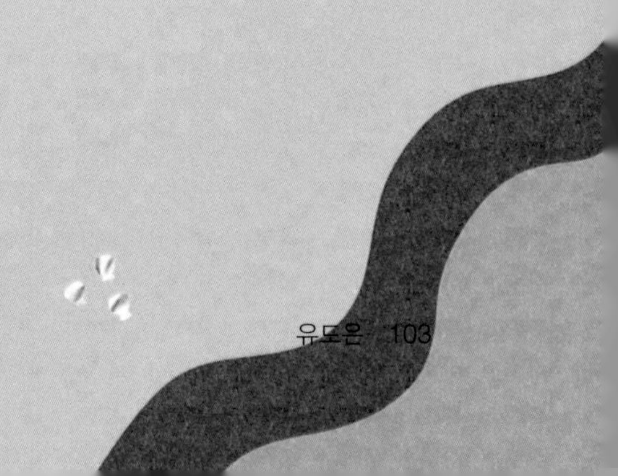

미세플라스틱

미세플라스틱

바다에 둥둥 떠다니는 깨알같은 친구들
모래알도 아닌 것이
저마다 알록달록 색을 자랑하며
왕년의 자신들의 이야기를 풀어본다

파랗고 동글동글한 녀석은
예전에는 아주 큰 선박의 페인트였다가
파도에 떨어져나가 헤매였고

빨갛고 뾰족한 녀석은
시원한 탄산음료를 머금고 있다가
어느새 바다에 던져졌다고 한다

초록 노랑 보라색들도 질 수 없다고
자신의 과거 쓸모와 모습에 대해 이야기한다

하지만 지금은 수백번 파도에 맞아
보잘 것 없어진 채로
바다를 쉼없이 항해하는 같은 처지다

바다 수프

바다 수프

한 입 먹어보면
짜고 씁쓸한 맛이 나는 수프

누군가 기름을 부어버리니
느끼하고 텁텁한 맛이 난다

해산물이 가득 들어있는 수프에
씹히는 깡통과 플라스틱 건더기

짜고 씁쓸한 맛이 아닌
이기심과 무책임한 맛이 느껴진다

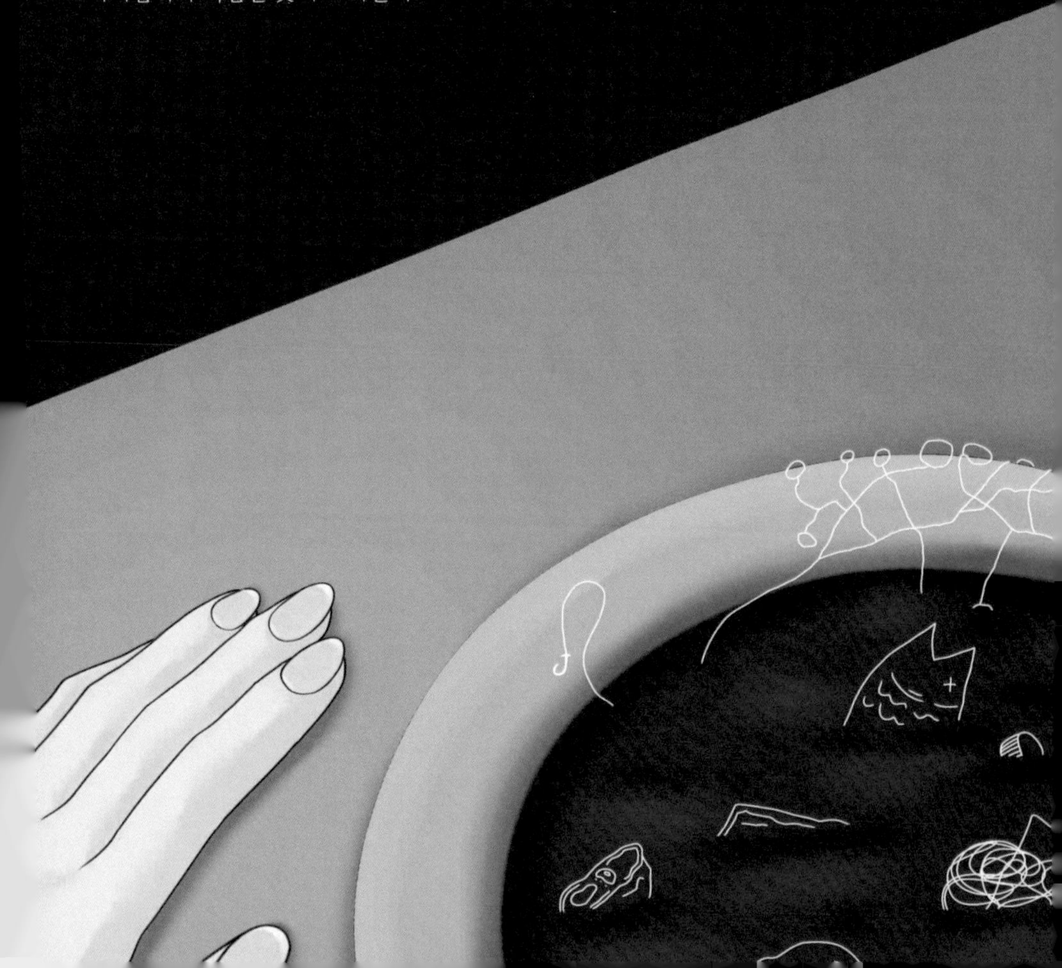

울퉁불퉁 수평선

울퉁불퉁 수평선

수평선 너머에는 무엇이 있을까

아무도 모르는 미지의 섬이 있을까
커다랗고 화려한 탐험가의 배가 있을까

하늘과 맞닿은 일직선을 보며
상상의 나래를 펼쳐보다

미지의 섬도 아닌
탐험가의 배도 아닌

쓰레기로 울퉁불퉁해진 수평선이
하늘과 바다의 만남을 방해한다

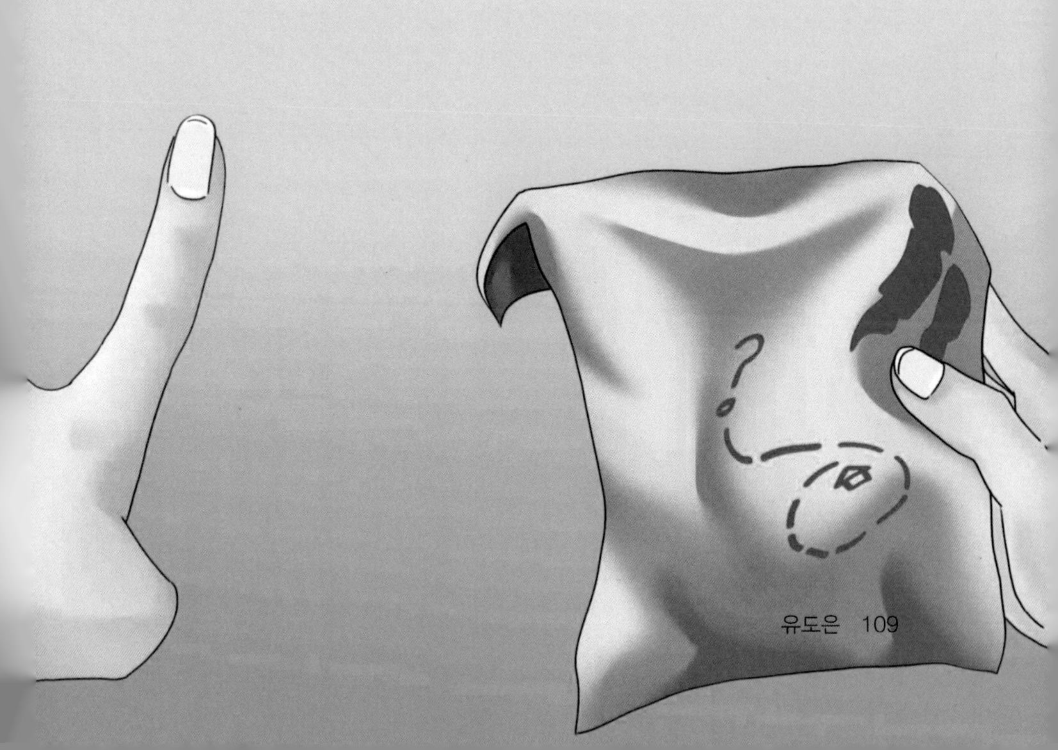

바라본 바다

바라본 바다

멀리서 바라본 그대는
한없이 다정하고
모든 걸 품을 수 있을 것 같았어요

하지만 가까이 다가가면
차마 품을 수 없는 것들에게 둘러싸인
고통받는 그대가 보여요

그대와 내가 닿는 순간
철썩거리며 화를 내지만
이내 다시 수그러드는 것을
반복하는 그대가 보여요

그대를 바라볼 때마다
하염없이 생각합니다
언제쯤 우리가 그대의 화를 그칠 수 있을까요

잡아먹힌 바다

잡아먹힌바다

바다는 모든 걸 삼킨다
평소에는 해양생물들을 머금고 있다가
가끔씩은 육지의 것들을 휩쓸고 흡수한다

바다로 흘러든 기름과
공장에서 나온 폐수같은
인간의 실수들을 삼켜 감추기도 하고

쓸모없어 버려진 것들을 흡수했던
두려울 것 없던 바다는

어느새 야금야금 먹어치우던
쓰레기에 삼켜지고 있다

조각

조각

누구의 조각일까
흐물흐물 플라스틱
원래는 조금 더
튼튼한 조각이었을 텐데

누구의 조각일까
작디작은 스티로폼
원래는 조금 더
거대한 조각이었을 텐데

시간이 지나서
변해버린 조각들

누구의 것인지는
모두 알고 있을까

더욱 변하기 전에
찾아줄 수 있을까

유도은

컵라면 용기

컵라면 용기

모래 안에 반절 파묻혀 있는
새빨간 컵라면 용기

갑갑한 모래알과 텁텁한 고추기름 가득 덮혀있어
푹푹 찌는 여름에는 숨 쉬기도 어렵다
몸에 두른 얇은 비닐으로
추운 겨울을 겨우 보낸다.

남은 세월 따스한 태양빛 받지만
나무처럼 쑥쑥 자라지도 않고
눈처럼 사르르 사라지지도 않는
그야말로 혼자 남아버린 신세다

옆에 있는 과자봉지 검은 종량제봉투에 담길 때
나도 좀 담아주길 바라고만 있다
차라리 파도 옆에 가서
시원한 물에 닿기를 바라고만 있다

모두 보기 불편한 모습이지만
손을 내밀어주는 사람없이
변함없는 모습 그대로를 유지한다

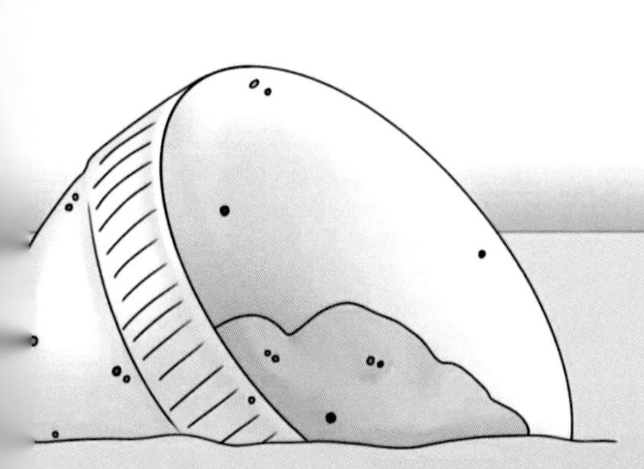

패션쇼

패션쇼

바다에서 열리는 특별한 행사
각자 자신들의 패션 아이템을 보여준다

따뜻한 햇살이 반기는 s/s시즌에는
하늘하늘한 비닐 원피스 입은 바다갈매기
하얀 마스크 가디건 걸친 물고기

차가운 파도가 들썩하는 f/w시즌에는
개성있는 플라스틱 컵 모자를 쓰고있는 소라게
멋스러운 그물 목도리 두른 거북이

자신의 패션을 뽐내기보단
인간에게 경각심을 가지게 해주는
바다에서 열리는 특별한 패션쇼

해수욕장의 밤

해수욕장의 밤

해가 쨍쨍한 정오
바다에 맺힌 반짝이는 윤슬
형형색색의 파라솔들
청량한 파도속에 들어차 있는 사람들

파라솔들이 정리되고
흩어져 버려진 쓰레기에
질식할 것 같은 바다만 남았다

오늘도 등대의 깜박이는 불빛에 맞춰
파도를 헐떡이며 외롭게 숨을 고른다

작가의 말

지구· 바다·환경

이 종 무

시간은 흔적을 남기는데 바다는 상처를 남긴다. 45억 살 지구의 시간은 찰나의 인간으로서는 가늠하기 힘든 시간대이다. 그래서 철학이 나오는지도 모른다. 오랜 시간 바람이든 사람이든 발자취를 남긴다. 45억 살이 그 증거다. 그러나 바다는 침묵한다. 마냥 푸른 곳으로 생각한다. 인간의 하수를 다 받아준다. 사람들이 버린 플라스틱은 매년 천만 톤이나 바다로 흘러든다고 한다. 고래뱃속, 거북이 목은 물론이고 무인도에도 플라스틱이 밀려들고 있다. 하와이 북동쪽에는 거대한 쓰레기 섬이 존재한다고 한다. 게다가 미세플라스틱은 이미 인간의 몸속에 들어와 있다는 보도도 있었다. 인간의 욕망은 바다로 몰려들고 있다. 그런데도 바다는 아무 말도 없다. 아니, 사실은 계속해서 아프다는 신호를 보내고 있다. 무인도에 표류한 인류가 SOS를 보내고 있는데도 아무도 눈치채지 못하고 있다는 게 현실이다.

바다에 대한 인간의 욕망은 끝이 없었다. 식민지에서 시작된 약탈은 무역과 진출이라는 이름으로 미화되었다. 시작이 바다였다. 우리에게는 바다란 그저 위험한 곳이었다. 물질은 아무나 하는 게 아니었다. 바다는 개척의 대상이 아니고 함께 조화롭게 상부상조하는 곳이었는지도 모른다. 언제부터인가 바다는 정복의 대상이고 무역 교통로가 되었다. 세계 인구 대부분이 바닷가에 살고 있는 게 그 반증이다. 그래도 바다는 아무 말 없이 그들의 요구를 다 들어준다. 생활 오폐수, 공업용수 심지어 어선이나 무역선까지 다 받아준다. 최근에는 후쿠시마 원전 오염수까지 바다는 그야말로 부처다.

인간의 욕망에는 항상 대가가 따르는 법이다. 바다가 마냥 그대로인 줄 알았지만, 실상은 신음 중이다. 바다는 말이 없지만 파도, 산호, 태풍, 해류, 고기 등을 통해 신호를 보내고 있지 않은가. 제주도 바다에는 백화 현상이 뚜렷하다고 한다. 시장에서 생선을 요리해 먹으려니 미세플라스틱과 후쿠시마 오염수가 걱정된다. 전에 없이 적조현상이 뚜렷하고 태풍의 강도가 더 세졌다. 우리 해역 주변에 열대어가 나타나기 시작했다. 바람이 심하게 불고 난 뒤 해변에는 플라스틱과 온갖 스티로폼이 널브러져 있다. 과연 우리가 사진 찍을 곳은 어디인가. 모든 생명의 시원인 바다가 오염되고서는 인간도 제대로 살 수가 없을 것이다. 그래서 탄소중립이니 자연과 조화니 하는 말이 필요한 것이다.

백 마디의 말보다 실천이 중요하다. 더 늦기 전에 1회 용품을 줄이고 우리 스스로 바다를 아끼는 생각의 틀을 바꾸어야 한다. 바다 시화 작품은 지구, 바다, 환경을 소재로 우리 스스로에 묻고 있다. 어쩌면 벼랑에 선 캔이 우리의 미래 모습일 수도 있다. 서기 2500년의 식탁은 과연 어떤 모습일까. 지금처럼 낚시는 할 수 있을까. 45억 살 지구가 언제까지 푸른 지구로 남을 수 있을는지 의문이 든다. 바닷속 해파리의 모습과 고래와 돌고래의 모습을 통해 스스로 버린 자, 버려진 자가 된 우리 자신의 모습을 바다 시화에 담았다.

뭍으로 떠밀려 온 너에게

임 도 연

평소에도 혼자 글 쓰는 걸 좋아해서 서생 바다도 쉽게 쓰일 줄 알았는데 막상 시작하려니까 너무 어려웠습니다. 표현 하나, 문장 하나 써 내려갈 때마다 이게 맞나 정말 이걸 하길 잘한 걸까 싶었습니다. 평소에 쓰는 글은 주제가 한정적이지 않아서 앉은 자리에서 2분 만에 글을 완성하곤 했는데 평소에 쓰던 글의 주제를 한 톨도 찾아볼 수 없었던 서생 바다는 저에게 너무 고난이었습니다. 특히 하나씩 완성할 때마다 다 똑같은 시가 나오는 것 같아 정말 울고 싶었습니다. 정말 이대로는 안 될 것 같다 싶었을 때 서점에 가 바다 이야기가 담긴 책들을 여러 권 읽어봤습니다. 그중 김청균 작가님의 재와 물거품이 제 마지막 시인 이기심을 쓰는 데 큰 도움을 줬습니다. 책을 읽을수록 남은 부분을 어떻게 써내려야 할지 어떤 식으로 표현해야 할지를 가장 정확하게 알려준 책이었습니다.

제 시 중 저는 이기심이라는 시를 가장 좋아합니다. 이기심은 재와 물거품을 읽고 저에게 가장 크게 남은 감정을 담은 시입니다. 평소에도 바다를 좋아해 바다에 관련된 것을 자주 읽는데 재와 물거품은 늘 느끼던 감정과는 달리 바다를 보호한다는 느낌이 들어 시로 써보고 싶어 앉은 자리에서 바로 쓰기 시작했습니다. 서생 바다에 실린 다른 시들과는 달리 이기심은 유독 더 잘 써져 가장 만족도도 높았고 이 시만큼은 꼭 넣고 싶다 하는 생각이 들어 원래 넣으려던 다른 시를 빼고 이기심을 넣었습니다. 가연이가 제가 원하는 배경, 분위기, 디테일까지 다 들어주고 바로바로 수정해 줘서 제가 원하던 느낌이 나와 정말 고마웠습니다.

또 제 시 중 하나인 동화는 가장 어렵게 썼던 시 중 하나입니다. 동화는 제일 처음에 썼던 글의 형태와 지금 글의 형태와 꽤 다릅니다. 제일 처음 받았던 피드백은 좋았으나 제가 마음에 들지 않아 여러 번 수정했습니다. 너무 추상적이다.라는 의견이 있었지만, 초반에 썼던 그것 중 제일 마음에 든 시라 포기할 수가 없어서 최대한 끝까지 수정했습니다.

마지막으로 블루라군이 가장 오랫동안 고민하여 쓴 시입니다. 평소에 한 번도 접하지 못한 것이어서 더 알아보기 위해 여기저기 검색도 해보고 한참을 넣을까 말지 고민한 시입니다. 가연이의 그림과 합치면 예쁠 것 같아 넣었습니다. 정말 정말 오랜 시간 동안 무언가 부족한 건 없을까, 더 뺄 건 없을까 생각하며 동화와 마찬가지로 공을 굉장히 많이 들인 시입니다.

우여곡절 끝에 완성한 제 시들을 모아 보니 정말 많은 생각이 들었습니다. 미래에는 바다가 더는 오염되지 않고 이 책을 많은 사람이 접해 여러 사람의 생각을 바꿔 더 맑고 푸른 바다로 돌아가기를 원합니다.

모래가 쓰레기로 바뀌어 버린 바다

김 찬 열

전 바다 근처에 살고 있어서 바다에 가끔 가곤 했습니다. 평소에 바다를 바라보고 있으면 모래사장에 흩뿌려진 쓰레기들이 보이곤 했습니다. 그 쓰레기들을 볼 때마다 이따금 이런 생각이 듭니다. '이 쓰레기들은 어디서 왔을까?' 그리고 뭔가 쓰레기로 인해서 그 아름다운 바다 경관에 흠집들이 쌓여가는 느낌이 들었습니다. 그 일을 계기로 전 바다가 점점 오염되어 가고 있다는 것을 인지할 수 있었습니다. 그러나, 보통 사람들은 말로는 바다가 오염되는 게 심각하다곤 말하지만 실제로는 이를 거의 느끼지 못하고 있습니다. 그래서 평소에 저는 그 심각성을 알리고 싶었습니다. 그런 생각으로 시를 쓰다 보니 바다에 멍이 든다거나 사람들이 쓰레기를 무심코 버려버린다는 표현들로 바다의 고통을 더 인상 깊게 나타내려고 했습니다. '바다 위의 촛불 하나'라는 시에선 공장의 매연이 세상을 어둡게 하고 이를 사람들이 해결해야 한다는 메시지를 담았습니다. 귀가하는 길에 주변을 둘러보면 해변에 공장들이 들어서 있고 새까만 매연들이 솟아 올라오고 있습니다. 그런 모습을 보니 그 매연이 언젠가는 바다와 세상마저도 집어삼킬 수 있다는 생각이 들었습니다. 그래서 매연이 바다에 떨어져 세상을 온통 까맣게 물들인다고 했습니다. '어미새의 밥상'에선 환경 단체에서 보낸 자료에서 볼 수 있는 새가 플라스틱을 먹고 죽은 장면을 모티브로 삼았습니다. 새가 바다의 쓰레기들을 아이에게 주는 모습은 단순히 보면 화목한 광경이지만 인간들의 가정에서의 모습과 대비시킴으로써 바다에 쓰레기를 버리는 일이 얼마나 심각한 일인지 강조하고 싶었습니다. '멸치잡이 배'에선 그와 반대로 우리 인간들이 버린 쓰레기는 결국 우리에게 돌아온다는 얘길 했습니다. 그리고 이에 따라 따뜻함이 사라진 황폐한 세상을 표현했습니다. '해무'에선 자연이 우리에게 경고하고 있다는 의미를 전했습니다. 비가 온 다음 날에 보면 바람이 강해서 해무가 육지로 밀려올 때가 있습니다. 그런데 이 광경은 마치 우리와 버려진 쓰레기들을 바다에서 밀어내는 것 같이 보였습니다. 그래서 자연의 뜻을 따라서 쓰레기를 자연에서 멀리하는 것이 공생하는 방법이라고 했습니다. '쓰레기를 버려야 했던 이유'에선 쓰레기를 버려야 우리가 편리해질 수 있다고 변명하는 사람들에게 경고했습니다. 단지 우리 인간들은 '그냥 쓰레기 한 번 버리는 건데.'라고 생각하지만, 바닷속에선 그게 아니라는 것을 보여주어 사람들에게 이러한 행동이 '단지' 평범한 게 아니라고 말하고 싶었습니다. '태풍'에선 자연이 오염된 바다를 청소하는 모습을 보여주었습니다. 사람들은 태풍이 불면 재난이라고 하며 부정적인 시선으로 바라봅니다. 그러나, 바다의 입장에선 태풍은 은인이나 다름없습니다. 찌꺼기들을 치워주고 씻겨주는 고마운 존재이죠. 그래서 이러한 자연 현상에 적대하는 것이 아니라 당연하다고 받아들일 수 있어야 한다고 전했습니다. 그러면 다시 아름다운 바다를 볼 수 있다고도 언급했습니다. '바다의 눈꽃'에선 바다에 피어난 하얀 꽃이 더럽혀지는 과정을 묘사했습니다. 눈꽃의 꽃말은 순결입니다. 전 눈꽃이 사람들에 의해서 밟히고 발자국이 남는 모습을 통해 맑았던 바다가 어느새 검게 변한 것을 알리고자 했습니다. '바다로 여행 온 뻐꾸기'에게선 바다로 피서를 온 사람들이 쓰레기를 아무 데나 버리는 모습을 나타내었습니다. 당사자들에겐 그저 한두 번 여행 오는 곳이지만 누군가에게는 삶의 터전인 것을 표현하여 쓰레기를 허락 없이 내버리는 것에 대해 경고하였습니다. '꿈의 스케치북'에선 바다를 한 아이의 희망과 꿈으로 묘사하여 사람들의 부도덕한 행동이 아이의 희망을 짓밟는 모습을 통해 바다가 사람들의 비양심적인 행동 때문에 오염되어 가고 있다고 전했습니다. 마지막으로 '물방울'에선 사람들의 무리한 개발이 바다를 망친다는 것을 전했습니다. 지구는 물이 순환하면서 생태계를 유지하는 데 무리한 개발로 인해 순환하던 물이 더러워지면서 전체적으로 바다가 더러워지고 있습니다. 근데 사람들은 눈에 보이지 않으니, 말로만 듣고 이를 체감하지 못합니다. 그래서 저는 시로서 그러한 모습을 구체화하여 보여주고 싶었습니다. 전체적으로 전 바다가 오염되는 것이 생각보다 훨씬 심각하다는 것을 강조하기 위해서 무거운 분위기를 이끌었고 우리의 소중한 자연이 이대로 가면 언젠가는 황폐한 쓰레기장으로 바뀔 수 있다는 것을 알리고 싶었습니다. 그럼 전 언젠가 그 아름다웠던 바다를 다시 볼 수 있다는 희망으로 이 시를 마무리하고자 합니다.

인간이 만든 바다

조 현 진

제가 쓴 시는 새파란 서생 바다를 다시금 외치기를 바라는 마음으로 그려내었습니다. 저는 처음 시를 쓸 당시 "쓰레기를 버리지 말자" 이런 진부한 이야기들보다는 사회적으로 논쟁거리가 된 다양한 이야기들을 시에 담기로 했습니다. 그렇게 후쿠시마 오염수, 태평양 쓰레기 섬, 산호 백화 현상 등 실제로 바다 한가운데서 일어나고 있는 다양한 환경 문제를 다룬 시들이 탄생했습니다. 이 글에서는 제가 시를 쓸 당시 있었던 여러 비화들을 소개해 볼까, 합니다.

첫 번째는 「버려진 자들의 낙원」에 대해 소개하겠습니다. 이 시는 버려진 물건들이 새로운 삶의 기회를 찾아 태평양 쓰레기 섬으로 출항합니다. 태평양 항해를 통해 도착한 쓰레기들의 신대륙은 마치 낙원처럼 펼쳐집니다. 메이플라워호의 출항을 시작으로 새로운 시작을 꿈꾸는 쓰레기들의 이야기입니다. 신대륙은 캔, 비닐, 플라스틱과 같이 버려진 물건들이 퍼져나가 만든 거대한 소망을 의미합니다. 자신만의 희망을 찾아 새로운 삶을 살아갈 수 있기를 바라며 버려진 것들에 대한 희망과 재도약의 가능성을 보여줬습니다.

두 번째는 「순백의 정원」입니다. 이 시는 쓰기 이전 산호 백화 현상에 대해 조금 더 이해할 필요가 있었습니다. 그래서 다양한 자료를 찾아보고 학교 과학 선생님께도 여쭤보고 쓴 시입니다. 이 시에서는 표면적으로는 바닷속에 만개한 산호꽃 무리가 아름답게 만개한 모습을 자아냅니다. 그러나 이 뒤에서 산호꽃의 꽃말로 전해지는 '떼죽음'이라는 단어를 통해 산호 백화 현상으로 인해 산호들이 죽었다는 점을 알 수 있습니다. 백화 현상은 아주 다양한 이유에서 일어납니다. 대표적인 현상만을 담아 흰색 산호꽃이 피는 조건에 빗대어 썼습니다.

세 번째는 「어획 강도」입니다. 이 시가 탄생하게 된 이유에는 재밌는 이야기가 숨어있습니다. 이 시를 쓰기 전에 남획에 대한 주제로 써보자고 생각하게 되었고 남획을 조사해 보던 중 "어획 강도"가 높아진다면 남획이라는 문장을 읽게 되었고 강도(強度)가 아닌 강도(强盜)로 오해하게 되어 이 시에서는 태평양 대부호의 집에 침입하여 물고기들을 쓸어가는 내용이 담겨있습니다.

네 번째는 「물속의 프로메테우스」입니다. 이 시에서 신화 속 프로메테우스와 달리 인간이 아닌 바다에 불꽃을 전했습니다. 그러고선 바다의 분노를 사 바다를 푸르게 만드는 형벌을 받게 되었습니다. 이 시에서는 프로메테우스는 쓰레기를 버린 사람 정도로 이야기할 수 있습니다. 프로메테우스는 인간들에게 영웅으로 선망되어 프로메테우스처럼 바닷속에 쓰레기를 버려 프로메테우스가 영원히 형벌에 받게 된다는 신화 속 내용을 인용하여 쓴 시입니다.

마지막으로는 「미슐랭 스타 -5 스타」입니다. 우리가 흔히 진미라고 불리는 음식들이 어디서 왔는지에 대해 이야기하고 싶었습니다. 그래서 대표적으로 가장 유명한 철갑상어알과 샥스핀을 주제로 잡아 상어가 뺏긴 자식과 지느러미가 비싼 값으로 책정되어 우리들의 식탁에 오르고 있다는 것을 담아 쓴 시입니다.

이처럼 현대사회와 바다에서 일어난 다양한 문제들을 담은 시들을 써보았습니다. 이 시가 우리가 더욱 환경에 관심을 기울이고, 아름다운 바다를 가꾸기를 바랄 따름입니다.

바다 사람들이 들려주는 이야기

유 도 은

학교에서 시집을 출판하기 위해 시를 쓴 것은 이번이 처음이 아니다. 1년 전 서생 바다의 아름다움을 표현하는 시를 문학 동아리에서 선생님과 부원들이랑 적어서 시집을 출판했던 적이 있었다. 그때 영감을 받기 위해 학교 주변의 바다로 가서 바다의 절경을 구경하였었다. 그리고 파도 소리와 모래사장, 떠밀려 온 해초 더미 등 모두에서 아름다움과 개성을 찾으려고 노력하였다. 하지만 이번에는 바다의 이면을 표현하는 주제로 시를 써야 했다. 뉴스나 기사글에서 보이는 바다의 환경 오염 문제 같은 것 말이다. 교과서와 나오는 환경 문제에 대한 논설문, 수필 등이 아닌 시로 표현해야 한다는 생각에 순간 막막했었다. 그래서 다시 학교 주변의 바다로 가는 것을 반복했다. 그리고 친구들과 같이 바닷가 주변을 걸으면서 바다를 유심히 관찰하였다. 전에 시를 쓸 때 보이던 찰랑거리는 눈부신 물결이 아닌 모래사장에 반쯤 파묻혀 있는 컵라면 용기가 더욱 눈에 띄었다. 그리고 파도 소리가 부드러운 합창곡이 아닌 화난 바다의 외침 같았다. 모래사장에서는 아기자기한 조개껍데기가 아닌 기름 묻은 검은 자국이 보였고, 쓰레기 더미 위를 총총 걷는 새들을 먼저 보았다.

그때 한 생각이 들었었다. 바다 주변에 살지 않는 사람들은 바다를 그저 여행을 와서 즐기는 곳이라고 생각할 것 같았다. 나조차도 그렇게 생각해 왔고 바다의 이면이 시야에 들어올 때마다 외면했었다. 나와는 그리 상관있는 문제가 아니라고 생각했기 때문이다. 하지만 바다가 가장 가까운 삶의 터전인 사람들은 어떻겠냐는 생각이 들었다. 바다 주변의 사람들은 과연 바다의 아름다움이 먼저 눈에 들어올지, 바다의 이면이 먼저 보일지 궁금하였다. 어쩌면 그들은 더욱 바다의 이면을 잘 알고 있을 것으로 생각하였다. 그래서 시집에 들어갈 10편의 모든 시에서는 바닷가에 사는 사람이 화자가 되었다. 사람 한 명 없는 파라솔 걷힌 자정의 모래사장을 바로 집 앞에서 볼 수 있는 화자를 상상하며 적은 [해수욕장의 밤]처럼, 바다에서 쓰레기를 입은 바다생물들을 사계절 동안 볼 수 있는 화자가 설명하는 [패션쇼]처럼 말이다.

이 시들을 읽는 사람들이 시의 화자처럼 바다를 보는 관점을 가졌으면 좋겠다. 바다에 떠다니는 쓰레기가 말해주고, 기름 덮어쓴 바다생물의 호소하는 내용의 시는 의견을 바꿔 상상하게 한다. 하지만 바다를 보는 사람은 누구나 자신이 될 수 있다. 아직도 누군가는 지구에 사는 모두가 바다에 둘러싸여 사는 사람들이라고 자각하고 있지 않다. 바다는 모든 지구의 사는 사람들의 삶의 터전이기에 집 앞에 바로 바다가 보이지 않아도 지켜야 할 중요한 곳이다. 바다를 보며 반성하며 슬퍼하고, 변하려고 다짐하여 실천하는 것도 결국 인간들만이 할 수 있는 일이다. 그래서 이 시들이 바다에 대한 관점을 바꾸는 계기가 되었으면 한다.

가연이의 그림 해설

박 가 연

저는 서생 바다 시를 쓸 사람만을 모집할 당시 글보단 그림을 더욱 그리고 싶었고 관심이 있었기에 직접 찾아가 부탁을 드렸으며 다행히 수락을 해주셔서 참여하게 되었습니다.
작업에 들어가기 전 삽화를 그리는 사람 2명(인당 25장), 시를 쓰는 사람 5명(인당 10장)으로 서로 작업을 담당할 사람을 2명 정한 후 선생님의 시의 절반을 작업하기로 정했습니다. 그렇게 저는 도연이와 현진이를 담당하게 되었으며 서로 소통을 해가며 작업을 마치게 되었습니다.

여태 작업을 하며 가장 어려웠던 작업은 조현진의 후쿠시마 술집과 버려진 자들의 낙원이었으며 가장 수월했던 작업은 임도연의 이기심 이였습니다.

여기서 더 깊게 들어간다면 임도연의 시는 대체로 제가 평상시 즐겨 그려오던 분위기의 그림으로 작업을 하여도 큰 이상이 없었으며 가장 자유롭게 그릴 수 있었던 것 같습니다.
특히 가장 수월했다던 이기심은 후반쯤에 그려 바다를 그리는 부분에서 단련이 되어있고 어릴 적부터 그려온 캐릭터가 어우러져 간편하고 즐겁게 작업한 것 같습니다.
그리고 임도연의 시의 작업물 중 저만의 의미가 담겨 해석하기 힘들고 가장 많은 생각을 하고 작업한 원래의 모습은 쓰레기가 버려진 현실적인 바다의 풍경 위 나만의 페인트를 칠해 어느 풍경보다 가장 아름다운 바다를 보여주는 요소를 활용해 공간을 분리, 대비시켜 현실과 꿈을 나타냈습니다.

조현진의 시는 전부 새로운 경험을 시켜준 그림으로 가득했습니다. 그래서 더욱 대하기 어려우며 그와 비례하게 만족감을 느낄 수 있었습니다.

많은 삽화 중 어려웠던 후쿠시마 술집과 버려진 자들의 낙원은 서로 다른 의미로 힘들었습니다.

후쿠시마의 술집은 한 번도 안 그려본 복잡한 배경과 술잔을 주인공으로 만드는 것, 오염수를 술로 변장시키고 뒤에 들어간 메뉴를 어떻게 적을지 분위기를 어떻게 어울리게 그릴지 등 다양한 한계에 부딪혀 조사하고 찾아보는 데 시간도 오래 걸리고 어려웠습니다. 하지만 고생한 만큼 만족스러운 작품입니다.

버려진 자들의 낙원은 러프는 수월하게 그렸지만, 쓰레기 섬을 어떻게 그릴지에 대한 막막함에 어려움과 그 선을 그리고 채색하는 데 어려움을 느꼈습니다.

가장 즐겁게 그린 작품은 오염 자선단체로 바다생물을 아기자기하고 귀엽게 그릴 수 있어 재밌었던 것 같습니다.

마지막 이종무 선생님의 시는 그림을 구상하는 데 전반적인 어려움이 있었습니다.

방학 초반엔 다른 친구들의 작업을 위주로 한다던가 저의 개인적 그림 활동을 위주로 하다 방학 후반쯤 선생님의 작업에 중점을 둬 계속 고민하며 하루 한 장 완성을 목표로 작업했습니다.

작업을 하는 동안 주변에서 많이 보고 들으며 접한 부분을 주로 담았으며 다채로운 표현을 하려 노력했습니다.

'바다로 간 허재비'의 파란 꽃은 네모필라로 '빛'이라는 꽃말을 가졌으며 바다를 표현했고 바다 쓰레기로 만든 허수아비로 현재 바다를 지키는 건 다른 게 아닌 바다 쓰레기가 지키고 있다는 것을 나타냈으며 그물을 덮고는 귀엽고 안도감이 안 느껴질 수 있도록 노력했으며 그물을 덮고 있음에도 익숙한 일인 듯 아무 신경을 안 쓰며 편히 잠드는 것을 표현했습니다.

여태 다양한 그림을 그리며 새롭고 다양한 경험을 할 수 있어 좋았으며 서로 친절하게 대해준 모두에게 감사하다고 전하고 싶은 시간이었습니다.

가영이의 그림 해설

황 가 영

어미새의 밥상 - 아기새들이 쓰레기를 허겁지겁 먹어 치우는 모습이 담긴 시를 보며 쓰레기들이 가득한 세상을 표현하고자 주변에서 흔히 볼 수 있는 빨갛게 그을린 플라스틱 용기로 새들의 둥지를 만들어 표현해 보았습니다.
해수욕장의 밤 - 숨이 막히는 밤바다를 표현하기 위해 노이즈 효과를 사용하였습니다.
꿈의 스케치북 - 파란색으로 칠해진 꿈의 스케치북이 바닥에 떨어지고 밟혀 더러워진 것을 표현하기 위해 스케치북 위에 발자국을 남겼습니다.
태풍 - 태풍이 지나가고 난 후 원래의 푸르고 고요한 바다를 멀리서 감상하는 것을 표현하기 위해 창문과 너머에 있는 바다를 그렸습니다.
잡아먹힌 바다 - 모두를 삼켜버린 바다가 쓰레기에 삼켜지고 있는 것을 표현하기 위해 깊숙한 바다 아래에 쓰레기들이 가득하게 쌓여있는 것을 그렸습니다. 쓰레기들은 여전히 깊이 가라앉고 있는 것을 표현하기 위해 올라오는 공기를 더 그려보았습니다.
해무 - 해무로 인해 세상이 잘 보이지 않는 것을 바다와 배의 그림자만 그려 표현하였습니다. 해무를 밀어내는 것을 빛으로 표현하였습니다.
멸치잡이 배 - 고요한 밤의 바다를 표현하기 위해 빛이 나는 바다를 그렸습니다.
물방울 - 검은 비를 내리는 구름에 울상을 짓는 표정을 그려 슬픔을 표현했습니다.

바다 위의 촛불 하나 - 작은 촛불이 바다 위에 홀로 빛이 나는 것을 그렸습니다.
바다로 여행 온 뻐꾸기 - 검붉은 피로 물들어 버린 바다를 빨간 색조를 이용해 표현했습니다.
바다의 눈꽃 - 각진 도형들을 이용해 차가운 바다를 표현해 보았습니다.
패션쇼 - 해양 생물들 대표로 하늘하늘한 비닐 원피스를 입은 바다 갈매기와 개성 있는 플라스틱 컵 모자를 쓴 소라게의 런웨이 장면을 그렸습니다. 바다에서 열리는 패션쇼임을 강조하기 위해 바다를 무대로 표현하였습니다.
미세플라스틱 - 미세플라스틱들의 휘황찬란한 과거를 자랑하며 회상하는 모습들을 보니 오래된 벽화로 표현하고 싶었습니다. 약간의 투박함을 더해 옛날 사람들의 낙서 같은 느낌을 내도록 했습니다.
바다 수프 - 느끼하고 텁텁한 맛이 나는 바다 수프의 주재료는 기름(폐수)이기에 거무튀튀하고 미끌미끌하게 그려보았고, 흰색 선으로 죽어버린 해양 생물들과 쓰레기들의 형체만을 나타내었습니다.
컵라면 용기 - 다 먹고 버려진 컵라면의 용기가 모래사장에 파묻혀 있는 것을 그렸습니다. 쓰레기가 담긴 종량제 봉투를 바라보며 자신을 담아주길 원한다는 내용을 확인하고 앞에 쓰레기가 담긴 종량제 봉투를 그렸습니다.
모래사장 - 검은색 기름과 푸른색 바다가 섞여 함께 요동치는 듯한 것을 표현하였고, 바다 앞에 놓인 세 개의 흰색 조개에는 지워지지 않고 번진 기름이 묻어있는 것을 그렸습니다. (시에서는 기름을 검은색 물감으로 표현하였습니다.)
조각 - 흐물흐물한 플라스틱 조각과 작디작은 스티로폼 조각들이 자신의 과거를 회상하며 자신들이 누구의 조각이었는지를 떠올리고 있는 것을 그렸습니다.
바라본 바다 - 멀리서 바라보다 가까이 다가가서 본 것을 표현하기 위해 돋보기를 그렸습니다. 돋보기 안에는 품을 수 없는 것들에게 짓눌려 고통을 받는 바다가 있습니다.
울퉁불퉁 수평선 - 수평선 너머 있는 그것의 존재를 알기 위해 항해를 하는 장면을 그렸습니다. 손에는 목적지를 알 수 없는 지도가 들려있습니다.
여기서부터 사용된 그림은 시보다 그림을 먼저 그렸습니다. 디카시, 디카 씨 - 핸드폰에 담기는 풍경과 현실은 다르다는 것을 그렸습니다. 현실에 조금 더 관심을 뒀으면 하는 마음으로 그렸습니다.
캔, 벼랑에 뒹굴다 - 바닷가에 가면 있는 돌멩이 탑을 보고 영감을 얻어 쓰레기 탑을 그려보았습니다.
수통의 꿈 - 엎질러진 물통 안에 있는 얼룩덜룩한 물은 더러워진 바다를 표현하였고, 위에 더 있는 배는 바다의 아픔을 표현하고 싶었습니다.
식탁, 서기 2500년 - 엉망이 되어버린 바다 수프를 떠먹는 그림을 그렸습니다. 플라스틱 숟가락으로 떠먹는 것은 사람들이 무분별하게 일회용품을 사용하는 것을 표현했습니다.
지구라는 풍선 - 위태위태한 지구를 바늘로 찌르면 터져버리는 풍선에 비유해 보았습니다. 어딘가 불안정해 보이는 풍선입니다.
온난한 낚시 - 낚시하다 온도계를 낚는 것을 그려 바다 온도가 예전과 다르게 올랐음을 표현하였습니다.

저자 소개

이종무
시인, 소설가
서생중학교 교사
<서생 바다>, <서생 바다 2> 등 학생들과 함께 바다와 환경에 대한 시를 쓰고 있음

임도연
한글날 글쓰기 장려상(2022) 한글날 글쓰기 우수상(2023)

김찬열
교내 영어 에세이 대회 수상(2022) 울산대학교 과학영재교육원 심화과정 이수(2022) 독후감 대회 수상(2023) 교내 영어 에세이 대회 수상(2023) 교내 과학의 날 설계 부문 대상(2023)

조현진
글짓기 운문 최우수(2022) 영어 경시대회 장려(2022) 학급 부반장(2023) 영어 경시대회 장려(2023) 현 서생중 방송부원

유도은
중학교 1,2,3학년 학급회장 중학교 1,2,3학년 모범상 편지글&독후감상문 쓰기 대회 최우수상
시집 <서생 바다>(공저)

황가영
교과서 표지 그리기 대회 최우수상(2023) 예일 전국 학생 미술 실기대회 입선(2023) 현 서생중 기숙사 자치위원
<서생 바다 2> (공저)

박가연
모범상(2022) 우수 장학생(2022) 방과후학교 체험 수기 우수상(2022) 미술동아리 부장(2023) 방과후학교 체험 수기 최우수(2023)

141